EL DIARIO DE UN MINUTO SOBRE LA GRATITUD

Este diario le pertenece a

_____

Copyright © 2020 Brenda Nathan

Todos los derechos reservados.

ISBN: 978-1-952358-03-6

Gratitud

La gratitud se trata de un sentimiento de apreciación por lo que uno tiene. Es aquel sentimiento de agradecimiento por las bendiciones que hemos recibido. Cultivar una actitud de gratitud produce muchos beneficios: físicos, mentales y espirituales. Sentir gratitud en el momento presente te hace sentir más feliz y relajado, mientras mejora tu salud y bienestar en general.

La gratitud no sólo tiene que ser producto de las grandes cosas. También puede darse por los pequeños eventos cotidianos. Puedes estar agradecido por cosas simples, como disfrutar de una película o simplemente hablar con un viejo amigo luego de mucho tiempo. En tu vida, siempre hay algo por lo que puedes estar agradecido. Se trata de apreciar las cosas que te rodean en lugar de darlas por hecho.

Escribe entre tres y cinco cosas por las que estás agradecido cada día. No sólo te sentirás bien al escribirlas, sino que también experimentarás la gratitud durante el día. Una persona que experimenta gratitud siente una sensación de alegría y abundancia en su vida. También se siente más conectado con otras personas y tiene más energía.

La gratitud debe expresarse siempre en tiempo presente y es más poderosa cuando se combina con el beneficio percibido para que se establezca una conexión emocional.

Una de las acciones más saludables y positivas que podemos hacer en nuestras vidas es expresarle nuestra gratitud a las personas que nos rodean. Dile a alguien lo mucho que lo aprecias. Dile a alguien que algo que hizo fue importante para ti. Cuando la gente genera un impacto, házselo saber. Normalmente, somos demasiado rápidos para señalar las faltas de la gente y las formas en que nos han perjudicado, mientras que tardamos en reconocer las buenas acciones y los favores.

Si alguien te hace sentir bien, hazlo sentir bien también. Al expresar nuestra gratitud a los demás, estamos haciendo del mundo un lugar mejor y alentando aquellas cosas que queremos ver con mayor frecuencia. Di, "Gracias". Marcarás la diferencia. Busca lo mejor de la gente y cuando lo encuentres, menciona algo al respecto.

Este diario cuenta con algunas páginas donde simplemente puedes dibujar algo. Si no te apetece dibujar nada, solo pega un hermoso dibujo en esta. Nuestras mentes reaccionan mejor a las imágenes y esta es una gran manera de sentir gratitud y aprecio.

La gratitud nos hace más optimistas y compasivos. La verdadera felicidad está dentro de nosotros. Al mantener un registro de tu gratitud en un diario, almacenarás energía positiva, obtendrás claridad en tu vida y tendrás mayor control de tus pensamientos y emociones.

Cada día, escribe de tres a cinco cosas por las que estás agradecido en este diario y convierte tus momentos comunes y corrientes en bendiciones.

Día: _____ *Fecha:* ____/____/____

Hoy estoy *Agradecido(a)* por _____

_____

_____

_____

_____

_____

Agradezcamos a las personas que nos hacen felices, son los jardineros
encantadores que hacen florecer nuestras almas. ~ *Marcel Proust*

Día: _____ *Fecha:* ____/____/____

Hoy estoy *Agradecido(a)* por _____

_____

_____

_____

_____

_____

Día: _____ *Fecha:* ____ / ____ / ____

Hoy estoy *Agradecido(a)* por_____

_____

_____

_____

_____

_____

La esencia de todo arte hermoso, de todo gran arte, es la gratitud.
~ *Friedrich Nietzsche*

Día: _____ *Fecha:* ____ / ____ / ____

Hoy estoy *Agradecido(a)* por_____

_____

_____

_____

_____

_____

Día: _____ *Fecha:* ____ / ____ / ____

Hoy estoy *Agradecido(a)* por _____

_____

_____

_____

_____

_____

El receptor agradecido produce una cosecha abundante.
~ *William Blake*

Día: _____ *Fecha:* ____ / ____ / ____

Hoy estoy *Agradecido(a)* por _____

_____

_____

_____

_____

_____

Día: _____ *Fecha:* _____ / _____ / _____

Hoy estoy *Agradecido(a)* por_____

_____

_____

_____

_____

_____

Solo hay un camino a la felicidad y es dejar de preocuparse por cosas que están más allá del poder de nuestra voluntad. ~ *Epicteto*

Día: _____ *Fecha:* _____ / _____ / _____

Hoy estoy *Agradecido(a)* por_____

_____

_____

_____

_____

_____

Día: _____ *Fecha:* ____/ ____/ ____

Hoy estoy *Agradecido(a)* por _____

_____

_____

_____

_____

_____

La gratitud es la flor más bella que brota del alma.
~ *Henry Ward Beecher*

Día: _____ *Fecha:* ____/ ____/ ____

Hoy estoy *Agradecido(a)* por _____

_____

_____

_____

_____

_____

Día: _____ *Fecha:* _____ / _____ / _____

Hoy estoy *Agradecido(a)* por_____

_____

_____

_____

_____

_____

Algo positivo es mejor que nada negativo. ~ *Elbert Hubbard*

Día: _____ *Fecha:* _____ / _____ / _____

Hoy estoy *Agradecido(a)* por_____

_____

_____

_____

_____

_____

Día: _____ *Fecha:* _____ / _____ / _____

Hoy estoy *Agradecido(a)* por _____

_____

_____

_____

_____

_____

La dirección de la mente es más importante que su progreso.
~ *Joseph Joubert*

Día: _____ *Fecha:* _____ / _____ / _____

Hoy estoy *Agradecido(a)* por _____

_____

_____

_____

_____

_____

Día: _____ *Fecha:* ____ / ____ / ____

Hoy estoy *Agradecido(a)* por_____

_____

_____

_____

_____

_____

La felicidad no es un ideal de razón, sino de imaginación.
~ *Immanuel Kant*

Día: _____ *Fecha:* ____ / ____ / ____

Hoy estoy *Agradecido(a)* por_____

_____

_____

_____

_____

_____

Día: _____ *Fecha:* _____ / _____ / _____

Hoy estoy *Agradecido(a)* por _____

_____

_____

_____

_____

_____

Las cortesías de carácter pequeño y trivial son las que golpean más profundamente en el corazón agradecido y afectuoso. ~ *Henry Clay*

Día: _____ *Fecha:* _____ / _____ / _____

Hoy estoy *Agradecido(a)* por _____

_____

_____

_____

_____

_____

14

Día: _____ *Fecha:* ____ / ____ / ____

Hoy estoy *Agradecido(a)* por _____

_____

_____

_____

_____

_____

El arte de ser feliz radica en el poder de extraer la felicidad de las cosas
comunes. ~ *Henry Ward Beecher*

Día: _____ *Fecha:* ____ / ____ / ____

Hoy estoy *Agradecido(a)* por _____

_____

_____

_____

_____

_____

Día: _____ *Fecha:* ____ / ____ / ____

Hoy estoy *Agradecido(a)* por _____

_____

_____

_____

_____

_____

La felicidad no reside en las posesiones ni en el oro, la felicidad vive en el alma. ~ *Demócrito*

Día: _____ *Fecha:* ____ / ____ / ____

Hoy estoy *Agradecido(a)* por _____

_____

_____

_____

_____

_____

Día: _____ *Fecha:* _____ / _____ / _____

Hoy estoy *Agradecido(a)* por _____

_____

_____

_____

_____

_____

El asombro es el deseo de conocimiento. ~ *Tomás de Aquino*

Día: _____ *Fecha:* _____ / _____ / _____

Hoy estoy *Agradecido(a)* por _____

_____

_____

_____

_____

_____

Día: _____ *Fecha:* _____ / _____ / _____

Hoy estoy *Agradecido(a)* por _____

_____

_____

_____

_____

_____

Las cosas no cambian; nosotros cambiamos. ~ *Henry David Thoreau*

Día: _____ *Fecha:* _____ / _____ / _____

Hoy estoy *Agradecido(a)* por _____

_____

_____

_____

_____

_____

Día: _____ *Fecha:* ____ / ____ / ____

Hoy estoy *Agradecido(a)* por_____

_____

_____

_____

_____

_____

Nuestra mayor gloria no está en no caer nunca, sino en levantarnos cada vez
que caemos. ~ *Confucio*

Día: _____ *Fecha:* ____ / ____ / ____

Hoy estoy *Agradecido(a)* por_____

_____

_____

_____

_____

_____

Dibuja algo

Día: _____ *Fecha:* _____ / _____ / _____

Hoy estoy *Agradecido(a)* por _____

_____

_____

_____

_____

_____

Un solo pensamiento agradecido hacia el cielo es la oración más perfecta.
~ *Gotthold Ephraim Lessing*

Día: _____ *Fecha:* _____ / _____ / _____

Hoy estoy *Agradecido(a)* por _____

_____

_____

_____

_____

Día: _____ *Fecha:* _____ / _____ / _____

Hoy estoy *Agradecido(a)* por _____

_____

_____

_____

_____

_____

La gratitud no es solo la mayor de las virtudes, sino la madre de todas las demás. ~ *Marco Tulio Cicerón*

Día: _____ *Fecha:* _____ / _____ / _____

Hoy estoy *Agradecido(a)* por _____

_____

_____

_____

_____

_____

Día: _____ *Fecha:* _____ / _____ / _____

Hoy estoy *Agradecido(a)* por _____

_____

_____

_____

_____

_____

El placer que más rara vez experimentamos es el que nos da el mayor deleite.
~ *Epicteto*

Día: _____ *Fecha:* _____ / _____ / _____

Hoy estoy *Agradecido(a)* por _____

_____

_____

_____

_____

Día: _____ *Fecha:* _____/_____/_____

Hoy estoy *Agradecido(a)* por_____

_____

_____

_____

_____

_____

La gratitud es el signo de las almas nobles. ~ *Fábulas de Esopo*

Día: _____ *Fecha:* _____/_____/_____

Hoy estoy *Agradecido(a)* por_____

_____

_____

_____

_____

_____

Día: _____ *Fecha:* ____ / ____ / ____

Hoy estoy *Agradecido(a)* por_____

_____

_____

_____

_____

_____

Si un poco de sueño es peligroso, la cura para ello no es soñar menos, sino
soñar más, soñar todo el tiempo. ~ *Marcel Proust*

Día: _____ *Fecha:* ____ / ____ / ____

Hoy estoy *Agradecido(a)* por_____

_____

_____

_____

_____

_____

Día: _____ *Fecha:* _____ / _____ / _____

Hoy estoy *Agradecido(a)* por _____

_____

_____

_____

_____

_____

La gratitud es un deber que debe ser pagado, pero que nadie tiene derecho a
esperar. ~ *Jean-Jacques Rousseau*

Día: _____ *Fecha:* _____ / _____ / _____

Hoy estoy *Agradecido(a)* por _____

_____

_____

_____

_____

_____

Día: _____ *Fecha:* _____ / _____ / _____

Hoy estoy *Agradecido(a)* por_____

_____

_____

_____

_____

_____

El agradecimiento es algo maravilloso: hace que lo que es excelente en otros
también nos pertenezca. ~ *Voltaire*

Día: _____ *Fecha:* _____ / _____ / _____

Hoy estoy *Agradecido(a)* por_____

_____

_____

_____

_____

_____

Día: _____ *Fecha:* _____ / _____ / _____

Hoy estoy *Agradecido(a)* por _____

_____

_____

_____

_____

_____

El camino más claro hacia el Universo es a través de un bosque salvaje.
~ *John Muir*

Día: _____ *Fecha:* _____ / _____ / _____

Hoy estoy *Agradecido(a)* por _____

_____

_____

_____

_____

_____

Día: _____ *Fecha:* _____ / _____ / _____

Hoy estoy *Agradecido(a)* por_____

_____

_____

_____

_____

_____

Cuando se es infeliz, uno duda de todo; cuando se es feliz, uno no duda de
nada. ~ *Joseph Roux*

Día: _____ *Fecha:* _____ / _____ / _____

Hoy estoy *Agradecido(a)* por_____

_____

_____

_____

_____

_____

Día: _____ *Fecha:* _____ / _____ / _____

Hoy estoy *Agradecido(a)* por _____

_____

_____

_____

_____

_____

Nuestra felicidad depende de la sabiduría. ~ *Sófocles*

Día: _____ *Fecha:* _____ / _____ / _____

Hoy estoy *Agradecido(a)* por _____

_____

_____

_____

_____

_____

Día: _____ *Fecha:* _____ / _____ / _____

Hoy estoy *Agradecido(a)* por _____

_____

_____

_____

_____

_____

El signo más seguro de sabiduría es la alegría. ~ *Michel de Montaigne*

Día: _____ *Fecha:* _____ / _____ / _____

Hoy estoy *Agradecido(a)* por _____

_____

_____

_____

_____

_____

Día: _____ *Fecha:* _____ / _____ / _____

Hoy estoy *Agradecido(a)* por _____

_____

_____

_____

_____

_____

Cree que puedes y estarás a mitad de camino.
~ *Theodore Roosevelt*

Día: _____ *Fecha:* _____ / _____ / _____

Hoy estoy *Agradecido(a)* por _____

_____

_____

_____

_____

Día: _____ *Fecha:* _____ / _____ / _____

Hoy estoy *Agradecido(a)* por _____

_____

_____

_____

_____

_____

Los eventos seguirán su curso, no es bueno estar enojado con ellos;
es más feliz quien sabiamente los convierte en la mejor ganancia.
~ Eurípides

Día: _____ *Fecha:* _____ / _____ / _____

Hoy estoy *Agradecido(a)* por _____

_____

_____

_____

_____

Día: _____ *Fecha:* _____ / _____ / _____

Hoy estoy *Agradecido(a)* por _____

_____

_____

_____

_____

_____

Todo tiene belleza, pero no todo el mundo la ve. ~ *Confucio*

Día: _____ *Fecha:* _____ / _____ / _____

Hoy estoy *Agradecido(a)* por _____

_____

_____

_____

_____

_____

Dibuja algo

Día: _____ *Fecha:* ____ / ____ / ____

Hoy estoy *Agradecido(a)* por _____

_____

_____

_____

_____

_____

Haz un hábito de no ser crítico con las cosas pequeñas.
~ *Edward Everett Hale*

Día: _____ *Fecha:* ____ / ____ / ____

Hoy estoy *Agradecido(a)* por _____

_____

_____

_____

_____

_____

Día: _____ *Fecha:* ____ / ____ / ____

Hoy estoy *Agradecido(a)* por _____

_____

_____

_____

_____

_____

Cree en que vale la pena vivir la vida y tu creencia ayudará a crear el hecho.
~ *William James*

Día: _____ *Fecha:* ____ / ____ / ____

Hoy estoy *Agradecido(a)* por _____

_____

_____

_____

_____

_____

Día: _____ *Fecha:* _____ / _____ / _____

Hoy estoy *Agradecido(a)* por _____

_____

_____

_____

_____

_____

Una mente contenta es la bendición más grande que un hombre puede
disfrutar en este mundo. ~ *Joseph Addison*

Día: _____ *Fecha:* _____ / _____ / _____

Hoy estoy *Agradecido(a)* por _____

_____

_____

_____

_____

_____

Día: _____ *Fecha:* _____ / _____ / _____

Hoy estoy *Agradecido(a)* por_____

_____

_____

_____

_____

_____

Las buenas acciones nos dan fuerza e inspiran buenas acciones en los demás.
~ *Platón*

Día: _____ *Fecha:* _____ / _____ / _____

Hoy estoy *Agradecido(a)* por_____

_____

_____

_____

_____

_____

Día: _____ *Fecha:* ____ / ____ / ____

Hoy estoy *Agradecido(a)* por _____

_____

_____

_____

_____

_____

Nuestros mejores éxitos a menudo vienen después de nuestras mayores
decepciones. ~ *Henry Ward Beecher*

Día: _____ *Fecha:* ____ / ____ / ____

Hoy estoy *Agradecido(a)* por _____

_____

_____

_____

_____

_____

Día: _____ *Fecha:* ____ / ____ / ____

Hoy estoy *Agradecido(a)* por_____

_____

_____

_____

_____

_____

Un corazón amoroso es el comienzo de todo conocimiento. ~ *Thomas Carlyle*

Día: _____ *Fecha:* ____ / ____ / ____

Hoy estoy *Agradecido(a)* por_____

_____

_____

_____

_____

_____

Día: _____ *Fecha:* _____ / _____ / _____

Hoy estoy *Agradecido(a)* por _____

_____

_____

_____

_____

_____

La honestidad es el primer capítulo del libro de la sabiduría.
~ *Thomas Jefferson*

Día: _____ *Fecha:* _____ / _____ / _____

Hoy estoy *Agradecido(a)* por _____

_____

_____

_____

_____

Día: _____ *Fecha:* ____ / ____ / ____

Hoy estoy *Agradecido(a)* por _____

_____

_____

_____

_____

_____

La vida en abundancia solo viene a través del gran amor.
~ *Elbert Hubbard*

Día: _____ *Fecha:* ____ / ____ / ____

Hoy estoy *Agradecido(a)* por _____

_____

_____

_____

_____

_____

Día: _____ *Fecha:* _____ / _____ / _____

Hoy estoy *Agradecido(a)* por _____

_____

_____

_____

_____

_____

Vivir es tan sorprendente que deja poco tiempo para cualquier otra cosa.
~ Emily Dickinson

Día: _____ *Fecha:* _____ / _____ / _____

Hoy estoy *Agradecido(a)* por _____

_____

_____

_____

_____

_____

Día: _____ *Fecha:* ____/____/____

Hoy estoy *Agradecido(a)* por _____

_____

_____

_____

_____

_____

La forma de conocer la vida es amar muchas cosas.
~ *Vincent Van Gogh*

Día: _____ *Fecha:* ____/____/____

Hoy estoy *Agradecido(a)* por _____

_____

_____

_____

_____

_____

Día: _____ *Fecha:* _____ / _____ / _____

Hoy estoy *Agradecido(a)* por _____

_____

_____

_____

_____

_____

Lleva menos tiempo hacer algo bien que explicar por qué lo hiciste mal.
~ Henry Wadsworth Longfellow

Día: _____ *Fecha:* _____ / _____ / _____

Hoy estoy *Agradecido(a)* por _____

_____

_____

_____

_____

Día: _____ *Fecha:* _____ / _____ / _____

Hoy estoy *Agradecido(a)* por_____

_____

_____

_____

_____

_____

Guarda el amor en tu corazón. Una vida sin él es como un jardín sin sol
cuando las flores están muertas. ~ *Oscar Wilde*

Día: _____ *Fecha:* _____ / _____ / _____

Hoy estoy *Agradecido(a)* por_____

_____

_____

_____

_____

Día: _____ *Fecha:* _____/_____/_____

Hoy estoy *Agradecido(a)* por _____

_____

_____

_____

_____

_____

El futuro es comprado por el presente. ~ *Samuel Johnson*

Día: _____ *Fecha:* _____/_____/_____

Hoy estoy *Agradecido(a)* por _____

_____

_____

_____

_____

_____

Día: _____ *Fecha:* _____ / _____ / _____

Hoy estoy *Agradecido(a)* por _____

_____

_____

_____

_____

_____

Nunca hagas nada malo para hacer un amigo o para conservar uno.
~ *Robert E. Lee*

Día: _____ *Fecha:* _____ / _____ / _____

Hoy estoy *Agradecido(a)* por _____

_____

_____

_____

_____

_____

Dibuja algo

Día: _____ *Fecha:* _____ / _____ / _____

Hoy estoy *Agradecido(a)* por_____

_____

_____

_____

_____

_____

La vida no consiste en tener buenas cartas, sino en jugar bien las que tienes.
~ *Josh Billings*

Día: _____ *Fecha:* _____ / _____ / _____

Hoy estoy *Agradecido(a)* por_____

_____

_____

_____

_____

_____

Día: _____ *Fecha:* _____ / _____ / _____

Hoy estoy *Agradecido(a)* por _____

_____

_____

_____

_____

_____

Nada es una pérdida de tiempo, si usas la experiencia sabiamente.
~ *Auguste Rodin*

Día: _____ *Fecha:* _____ / _____ / _____

Hoy estoy *Agradecido(a)* por _____

_____

_____

_____

_____

_____

Día: _____ *Fecha:* _____ / _____ / _____

Hoy estoy *Agradecido(a)* por_____

_____

_____

_____

_____

_____

El que más sabe, sabe lo poco que sabe. ~ *Thomas Jefferson*

Día: _____ *Fecha:* _____ / _____ / _____

Hoy estoy *Agradecido(a)* por_____

_____

_____

_____

_____

_____

Día: _____ *Fecha:* _____ / _____ / _____

Hoy estoy *Agradecido(a)* por _____

_____

_____

_____

_____

_____

Encuentra el éxtasis en la vida; la mera sensación de vivir es suficiente alegría.
~ *Emily Dickinson*

Día: _____ *Fecha:* _____ / _____ / _____

Hoy estoy *Agradecido(a)* por _____

_____

_____

_____

_____

_____

Día: _____ *Fecha:* _____ / _____ / _____

Hoy estoy *Agradecido(a)* por_____

_____

_____

_____

_____

_____

Nunca te rindas, porque ese es precisamente el lugar y el tiempo en que la marea cambiará. ~ *Harriet Beecher Stowe*

Día: _____ *Fecha:* _____ / _____ / _____

Hoy estoy *Agradecido(a)* por_____

_____

_____

_____

_____

_____

Día: _____ *Fecha:* ____ / ____ / ____

Hoy estoy *Agradecido(a)* por _____

_____

_____

_____

_____

_____

O encontraré una manera, o haré una. ~ *Philip Sidney*

Día: _____ *Fecha:* ____ / ____ / ____

Hoy estoy *Agradecido(a)* por _____

_____

_____

_____

_____

Día: _____ *Fecha:* ____ / ____ / ____

Hoy estoy *Agradecido(a)* por_____

_____

_____

_____

_____

_____

No temas los errores. Conocerás el fracaso. Continúa resistiendo.
~ *Benjamin Franklin*

Día: _____ *Fecha:* ____ / ____ / ____

Hoy estoy *Agradecido(a)* por_____

_____

_____

_____

_____

_____

Día: _____ *Fecha:* ____ / ____ / ____

Hoy estoy *Agradecido(a)* por _____

_____

_____

_____

_____

_____

Es una sabiduría costosa aquella comprada por la experiencia.
~ *Roger Ascham*

Día: _____ *Fecha:* ____ / ____ / ____

Hoy estoy *Agradecido(a)* por _____

_____

_____

_____

_____

_____

Día: _____ *Fecha:* ____ / ____ / ____

Hoy estoy *Agradecido(a)* por_____

_____

_____

_____

_____

Amarse a uno mismo es el comienzo de un romance de toda la vida.
~ *Oscar Wilde*

Día: _____ *Fecha:* ____ / ____ / ____

Hoy estoy *Agradecido(a)* por_____

_____

_____

_____

_____

Día: _____ *Fecha:* _____ / _____ / _____

Hoy estoy *Agradecido(a)* por _____

_____

_____

_____

_____

_____

El razonamiento llega a una conclusión, pero no hace cierta la conclusión, a menos que la mente la descubra por el camino de la experiencia. ~ *Roger Bacon*

Día: _____ *Fecha:* _____ / _____ / _____

Hoy estoy *Agradecido(a)* por _____

_____

_____

_____

_____

_____

Día: _____ *Fecha:* ____/ ____/ ____

Hoy estoy *Agradecido(a)* por_____

_____

_____

_____

_____

Cuando el camino de la vida sea empinado, recuerda mantener tu mente
abierta. ~ *Horacio*

Día: _____ *Fecha:* ____/ ____/ ____

Hoy estoy *Agradecido(a)* por_____

_____

_____

_____

_____

Día: _____ *Fecha:* ____ / ____ / ____

Hoy estoy *Agradecido(a)* por _____

_____

_____

_____

_____

_____

_____

No me preguntes lo que tengo, sino lo que soy. ~ *Heinrich Heine*

Día: _____ *Fecha:* ____ / ____ / ____

Hoy estoy *Agradecido(a)* por _____

_____

_____

_____

_____

_____

Día: _____ *Fecha:* ____ / ____ / ____

Hoy estoy *Agradecido(a)* por _____

_____

_____

_____

_____

La mejor preparación para el mañana es hacer el trabajo de hoy
magníficamente bien. ~ *William Osler*

Día: _____ *Fecha:* ____ / ____ / ____

Hoy estoy *Agradecido(a)* por _____

_____

_____

_____

_____

Día: _____ *Fecha:* _____/ _____/ _____

Hoy estoy *Agradecido(a)* por _____

_____

_____

_____

_____

_____

El amor siempre trae dificultades, eso es cierto, pero su lado bueno es que da energía. ~ *Vincent Van Gogh*

Día: _____ *Fecha:* _____/ _____/ _____

Hoy estoy *Agradecido(a)* por _____

_____

_____

_____

_____

_____

Dibuja algo

Día: _____ *Fecha:* _____ / _____ / _____

Hoy estoy *Agradecido(a)* por _____

_____

_____

_____

_____

_____

Las mentes pequeñas están interesadas en lo extraordinario; las grandes
mentes en lo común. ~ *Elbert Hubbard*

Día: _____ *Fecha:* _____ / _____ / _____

Hoy estoy *Agradecido(a)* por _____

_____

_____

_____

_____

_____

Día: _____ *Fecha:* _____ / _____ / _____

Hoy estoy *Agradecido(a)* por_____

_____

_____

_____

_____

_____

Encuentra el éxtasis en la vida; la mera sensación de vivir es suficiente alegría.
~ *Emily Dickinson*

Día: _____ *Fecha:* _____ / _____ / _____

Hoy estoy *Agradecido(a)* por_____

_____

_____

_____

_____

_____

Día: _____ *Fecha:* _____/_____/_____

Hoy estoy *Agradecido(a)* por_____

_____

_____

_____

_____

_____

No te preocupes por nada de lo que te digan de los demás. Juzga a todos y todo por ti mismo. ~ *Henry James*

Día: _____ *Fecha:* _____/_____/_____

Hoy estoy *Agradecido(a)* por _____

_____

_____

_____

_____

_____

Día: _____ *Fecha:* ____ / ____ / ____

Hoy estoy *Agradecido(a)* por _____

_____

_____

_____

_____

_____

Es nuestra actitud al comienzo de una tarea difícil lo que, más que cualquier otra cosa, afectará a su éxito. ~ *William James*

Día: _____ *Fecha:* ____ / ____ / ____

Hoy estoy *Agradecido(a)* por _____

_____

_____

_____

_____

_____

Día: _____ *Fecha:* _____ / _____ / _____

Hoy estoy *Agradecido(a)* por _____

_____

_____

_____

_____

_____

La alegría es el mejor promotor de la salud y es tan amigable con la mente
como con el cuerpo. ~ *Joseph Addison*

Día: _____ *Fecha:* _____ / _____ / _____

Hoy estoy *Agradecido(a)* por _____

_____

_____

_____

_____

_____

Día: _____ *Fecha:* _____ / _____ / _____

Hoy estoy *Agradecido(a)* por_____
_____
_____
_____
_____
_____

Habito en la posibilidad. ~ *Emily Dickinson*

Día: _____ *Fecha:* _____ / _____ / _____

Hoy estoy *Agradecido(a)* por_____
_____
_____
_____
_____
_____

Día: _____ *Fecha:* _____ / _____ / _____

Hoy estoy *Agradecido(a)* por _____

_____

_____

_____

_____

_____

La creatividad no es el hallazgo de una cosa, sino hacer algo de ella después
que se la encuentra. ~ *James Russell Lowell*

Día: _____ *Fecha:* _____ / _____ / _____

Hoy estoy *Agradecido(a)* por _____

_____

_____

_____

_____

_____

Día: _____ *Fecha:* ____ / ____ / ____

Hoy estoy *Agradecido(a)* por _____

_____

_____

_____

_____

Algo bello es una alegría para siempre: su belleza aumenta; nunca pasará a la nada. ~ *John Keats*

Día: _____ *Fecha:* ____ / ____ / ____

Hoy estoy *Agradecido(a)* por _____

_____

_____

_____

_____

Día: _____ *Fecha:* _____ / _____ / _____

Hoy estoy *Agradecido(a)* por _____

_____

_____

_____

_____

_____

_____

Tener valor para lo que venga en la vida, todo reside en eso.
~ *Santa Teresa de Jesús*

Día: _____ *Fecha:* _____ / _____ / _____

Hoy estoy *Agradecido(a)* por _____

_____

_____

_____

_____

_____

Día: _____ *Fecha:* ____ / ____ / ____

Hoy estoy *Agradecido(a)* por _____

_____

_____

_____

_____

_____

Construimos demasiados muros y no suficientes puentes. ~ *Isaac Newton*

Día: _____ *Fecha:* ____ / ____ / ____

Hoy estoy *Agradecido(a)* por _____

_____

_____

_____

_____

_____

Día: _____ *Fecha:* _____ / _____ / _____

Hoy estoy *Agradecido(a)* por _____

_____

_____

_____

_____

_____

Después de una tormenta, viene la calma. ~ *Matthew Henry*

Día: _____ *Fecha:* _____ / _____ / _____

Hoy estoy *Agradecido(a)* por _____

_____

_____

_____

_____

_____

Día: _____ *Fecha:* _____ / _____ / _____

Hoy estoy *Agradecido(a)* por _____

_____

_____

_____

_____

_____

Mil palabras no dejarán una impresión tan profunda como una acción.
~ *Henrik Ibsen*

Día: _____ *Fecha:* _____ / _____ / _____

Hoy estoy *Agradecido(a)* por _____

_____

_____

_____

_____

_____

Día: _____ *Fecha:* _____/_____/_____

Hoy estoy *Agradecido(a)* por _____

_____

_____

_____

_____

_____

Toda experiencia es un arco sobre el cual construir.
~ *Henry Adams*

Día: _____ *Fecha:* _____/_____/_____

Hoy estoy *Agradecido(a)* por _____

_____

_____

_____

_____

_____

Día: _____ *Fecha:* ____ / ____ / ____

Hoy estoy *Agradecido(a)* por _____

_____

_____

_____

_____

_____

Gracias a Dios, cada mañana cuando te levantas tienes algo que hacer ese día,
que debe hacerse, te guste o no. ~ *James Russell Lowell*

Día: _____ *Fecha:* ____ / ____ / ____

Hoy estoy *Agradecido(a)* por _____

_____

_____

_____

_____

_____

Dibuja algo

Día: _____ *Fecha:* ____/ ____/ ____

Hoy estoy *Agradecido(a)* por_____

_____

_____

_____

_____

_____

El genio es la capacidad de renovar las emociones en la experiencia diaria.
~ *Paul Cézanne*

Día: _____ *Fecha:* ____/ ____/ ____

Hoy estoy *Agradecido(a)* por_____

_____

_____

_____

_____

_____

Día: _____ *Fecha:* _____ / _____ / _____

Hoy estoy *Agradecido(a)* por_____

_____

_____

_____

_____

_____

_____

Qué poco se puede hacer bajo el espíritu del miedo.
~ *Florence Nightingale*

Día: _____ *Fecha:* _____ / _____ / _____

Hoy estoy *Agradecido(a)* por _____

_____

_____

_____

_____

_____

Día: _____ *Fecha:* _____/_____/_____

Hoy estoy *Agradecido(a)* por_____

_____

_____

_____

_____

_____

La duda entra por la ventana cuando se niega la investigación en la puerta.
~ Benjamin Jowett

Día: _____ *Fecha:* _____/_____/_____

Hoy estoy *Agradecido(a)* por_____

_____

_____

_____

_____

_____

83

Día: _____ *Fecha:* ____ / ____ / ___

Hoy estoy *Agradecido(a)* por_____

_____

_____

_____

_____

La vida no es una cuestión de tener buenas cartas, sino de jugar bien una mala
mano. ~ *Robert Louis Stevenson*

Día: _____ *Fecha:* ____ / ____ / ___

Hoy estoy *Agradecido(a)* por _____

_____

_____

_____

_____

Día: _____ *Fecha:* _____ / _____ / _____

Hoy estoy *Agradecido(a)* por _____

_____

_____

_____

_____

_____

Con un ojo calmado por el poder de la armonía y el profundo poder de la
alegría, vemos en la vida de las cosas. ~ *William Wordsworth*

Día: _____ *Fecha:* _____ / _____ / _____

Hoy estoy *Agradecido(a)* por _____

_____

_____

_____

_____

_____

Día: _____ *Fecha:* ____/____/____

Hoy estoy *Agradecido(a)* por _____

_____

_____

_____

_____

_____

Consumimos nuestros mañanas preocupándonos por nuestros días pasados.
~ *Persio*

Día: _____ *Fecha:* ____/____/____

Hoy estoy *Agradecido(a)* por _____

_____

_____

_____

_____

_____

Día: _____ *Fecha:* ____ / ____ / ____

Hoy estoy *Agradecido(a)* por _____

_____

_____

_____

_____

_____

Una palabra suave, una mirada amable, una sonrisa de buen carácter pueden hacer maravillas y lograr milagros. ~ *William Hazlitt*

Día: _____ *Fecha:* ____ / ____ / ____

Hoy estoy *Agradecido(a)* por _____

_____

_____

_____

_____

_____

Día: _____ *Fecha:* _____/ _____/ _____

Hoy estoy *Agradecido(a)* por_____

_____

_____

_____

_____

_____

Ningún hombre es una isla, entera; cada hombre es un pedazo del continente.
~ *John Donne*

Día: _____ *Fecha:* _____/ _____/ _____

Hoy estoy *Agradecido(a)* por _____

_____

_____

_____

_____

_____

Día: _____ *Fecha:* _____ / _____ / _____

Hoy estoy *Agradecido(a)* por _____

_____

_____

_____

_____

_____

Vive tu vida como si todos tus actos se convirtieran en una ley universal.
~ *Immanuel Kant*

Día: _____ *Fecha:* _____ / _____ / _____

Hoy estoy *Agradecido(a)* por _____

_____

_____

_____

_____

_____

Día: _____ *Fecha:* ____ / ____ / ____

Hoy estoy *Agradecido(a)* por _____

_____

_____

_____

_____

_____

Si quieres que el presente sea diferente del pasado, estudia el pasado.
~ *Baruch Spinoza*

Día: _____ *Fecha:* ____ / ____ / ____

Hoy estoy *Agradecido(a)* por _____

_____

_____

_____

_____

_____

Día: _____ *Fecha:* _____ / _____ / _____

Hoy estoy *Agradecido(a)* por _____

_____

_____

_____

_____

_____

La medida del verdadero carácter de un hombre es lo que haría si supiera que
nunca será descubierto. ~ *Thomas Babington Macaulay*

Día: _____ *Fecha:* _____ / _____ / _____

Hoy estoy *Agradecido(a)* por _____

_____

_____

_____

_____

_____

Día: _____ *Fecha:* _____ / _____ / _____

Hoy estoy *Agradecido(a)* por _____

_____

_____

_____

_____

_____

Las montañas están llamando y debo ir. ~ *John Muir*

Día: _____ *Fecha:* _____ / _____ / _____

Hoy estoy *Agradecido(a)* por _____

_____

_____

_____

_____

_____

Día: _____ *Fecha:* _____ / _____ / _____

Hoy estoy *Agradecido(a)* por_____

_____

_____

_____

_____

_____

_____

Comiencen, sean audaces y aventúrense a ser sabios. ~ *Horacio*

Día: _____ *Fecha:* _____ / _____ / _____

Hoy estoy *Agradecido(a)* por_____

_____

_____

_____

_____

_____

Día: _____ *Fecha:* _____/_____/_____

Hoy estoy *Agradecido(a)* por _____

_____

_____

_____

_____

_____

De las bendiciones establecidas antes haces tu elección, y permanece contento.
~ *Samuel Johnson*

Día: _____ *Fecha:* _____/_____/_____

Hoy estoy *Agradecido(a)* por _____

_____

_____

_____

_____

_____

Dibuja algo

Día: _____ *Fecha:* _____ / _____ / _____

Hoy estoy *Agradecido(a)* por _____

_____

_____

_____

_____

_____

Los amigos son el sol de la vida. ~ *John Hay*

Día: _____ *Fecha:* _____ / _____ / _____

Hoy estoy *Agradecido(a)* por _____

_____

_____

_____

_____

_____

Día: _____ *Fecha:* _____ / _____ / _____

Hoy estoy *Agradecido(a)* por_____

_____

_____

_____

_____

_____

Seamos de buen ánimo, sin embargo, recordando que las desgracias más
difíciles de soportar son las que nunca llegan. ~ *James Russell Lowell*

Día: _____ *Fecha:* _____ / _____ / _____

Hoy estoy *Agradecido(a)* por_____

_____

_____

_____

_____

_____

Día: _____ *Fecha:* _____ / _____ / _____

Hoy estoy *Agradecido(a)* por _____

_____

_____

_____

_____

_____

_____

El que sabe que ya es suficiente, siempre tendrá suficiente.
~ *Lao-Tse*

Día: _____ *Fecha:* _____ / _____ / _____

Hoy estoy *Agradecido(a)* por _____

_____

_____

_____

_____

_____

Día: _____ *Fecha:* _____/_____/_____

Hoy estoy *Agradecido(a)* por _____

_____

_____

_____

_____

_____

_____

No se puede hacer un favor demasiado pronto, porque nunca se sabe lo
pronto que será demasiado tarde. ~ *Ralph Waldo Emerson*

Día: _____ *Fecha:* _____/_____/_____

Hoy estoy *Agradecido(a)* por _____

_____

_____

_____

_____

_____

_____

Día: _____ *Fecha:* _____/_____/_____

Hoy estoy *Agradecido(a)* por _____

_____

_____

_____

_____

_____

_____

La verdadera felicidad es lo bastante barata, pero cuánto pagamos por su falsificación. ~ *Hosea Ballou*

Día: _____ *Fecha:* _____/_____/_____

Hoy estoy *Agradecido(a)* por _____

_____

_____

_____

_____

_____

_____

Día: _____ *Fecha:* _____ / _____ / _____

Hoy estoy *Agradecido(a)* por _____

_____

_____

_____

_____

_____

_____

Nunca te rindas, porque ese es precisamente el lugar y el tiempo en que la marea cambiará. ~ *Harriet Beecher Stowe*

Día: _____ *Fecha:* _____ / _____ / _____

Hoy estoy *Agradecido(a)* por _____

_____

_____

_____

_____

_____

_____

Día: _____ *Fecha:* _____ / _____ / _____

Hoy estoy *Agradecido(a)* por _____

_____

_____

_____

_____

_____

_____

El poder de la imaginación nos hace infinitos.
~ *John Muir*

Día: _____ *Fecha:* _____ / _____ / _____

Hoy estoy *Agradecido(a)* por _____

_____

_____

_____

_____

_____

Día: _____ *Fecha:* _____ / _____ / _____

Hoy estoy *Agradecido(a)* por_____

_____

_____

_____

_____

_____

La felicidad es una elección que a veces requiere esfuerzo.
~ *Esquilo*

Día: _____ *Fecha:* _____ / _____ / _____

Hoy estoy *Agradecido(a)* por_____

_____

_____

_____

_____

_____

Día: _____ *Fecha:* _____ / _____ / _____

Hoy estoy *Agradecido(a)* por_____

_____

_____

_____

_____

_____

Lo que obtenemos demasiado barato, lo estimamos demasiado a la ligera; solo
la escasez da a todo su valor. ~ *Thomas Paine*

Día: _____ *Fecha:* _____ / _____ / _____

Hoy estoy *Agradecido(a)* por _____

_____

_____

_____

_____

_____

Día: _____ *Fecha:* _____/_____/_____

Hoy estoy *Agradecido(a)* por _____

_____

_____

_____

_____

_____

Lo que te preocupa, te domina. ~ *John Locke*

Día: _____ *Fecha:* _____/_____/_____

Hoy estoy *Agradecido(a)* por _____

_____

_____

_____

_____

_____

Día: _____ *Fecha:* _____ / _____ / _____

Hoy estoy *Agradecido(a)* por _____

_____

_____

_____

_____

_____

Todas las cosas son difíciles antes de que sean fáciles. ~ *Thomas Fuller*

Día: _____ *Fecha:* _____ / _____ / _____

Hoy estoy *Agradecido(a)* por _____

_____

_____

_____

_____

Día: _____ *Fecha:* ____ / ____ / ____

Hoy estoy *Agradecido(a)* por_____

_____

_____

_____

_____

_____

_____

Quién sabe, la mente tiene la llave de todas las cosas, además.
~ Amos Bronson Alcott

Día: _____ *Fecha:* ____ / ____ / ____

Hoy estoy *Agradecido(a)* por_____

_____

_____

_____

_____

_____

_____

Día: .... *Fecha:* _____ / _____ / _____

Hoy estoy *Agradecido(a)* por _____

_____

_____

_____

_____

_____

El propósito crea la máquina. ~ *Arthur Young*

Día: .... *Fecha:* _____ / _____ / _____

Hoy estoy *Agradecido(a)* por _____

_____

_____

_____

_____

_____

Día: _____ *Fecha:* _____ / _____ / _____

Hoy estoy *Agradecido(a)* por _____

_____

_____

_____

_____

_____

Saber no es suficiente; debemos practicar. La voluntad no es suficiente; tenemos que hacer. ~ *Johann Wolfgang von Goethe*

Día: _____ *Fecha:* _____ / _____ / _____

Hoy estoy *Agradecido(a)* por _____

_____

_____

_____

_____

_____

Dibuja algo

Notas

Notas

Made in the USA
Las Vegas, NV
18 March 2021

19750260R00063